Erik van Os en Elle van Lieshout

nog een mop?

ik ken die aap!
wie is dat ook weer?
laat eens zien.

ik zie het al.
dat ben ik.

hoe kom ik daar?
je bent al daar!

? ? ?
hoe kom je daar nou bij?
ik ben niet daar.
ik ben hier.

zie jij het bos al?
nee, ik zie het bos niet.
die boom staat er voor.
en die boom.
en die daar.
en die.
en die.

au, au, au!
stil maar.
ik raak je niet eens aan.

wel waar.
je staat op mijn teen.

au! au! au!
die bult doet pijn.
wie was het?
wijs hem maar aan.
dan geef ik hem op zijn kop!

oo nee!
daar gaan we weer!

wat doe jij nou, jut?
kijk daar!
zie je dat niet!
de zon valt in de zee.
ik haal hem er snel uit!

‘ik zeg het voor,’ zegt de juf.
‘ik zit.
jij zit.
hij zit.
miep, doe jij dat ook eens met:
ik loop.
jij …
maak maar af, miep.’
heel sloom zegt miep:
‘ik … uh … loop.
jij … uh … loopt.
… hij … uh …’

‘dat is veel te sloom, miep,’ zegt de juf.
‘hup, maak eens wat vaart.’
zegt miep:
‘uh … ik … ren.
… jij … uh … rent.
hij rent.’

pak jij dat ding niet uit?
nee.
ik weet toch al
wat er in zit.

wat kijk je sip.
mijn bak voer is al half leeg!

wat heb jij pech, zeg!
die van mij is nog half vol!

Wat mooi, die kleur.

En die kleur is ook mooi.

En die ook.

Maar die kleur ken ik al.
Rij maar door, Jut.

Ik heb het koud.
Dat snap ik.
De boer liet het hek
open staan!

Help!
Er zit een gat in de boot.
Nu loopt er water in!
Maak je niet druk.
Ik maak er nog wel een gat bij.
Dan kan het water er daar weer uit!

Oma ziet niet zo goed meer.
Ze gaat naar de dokter.
De dokter wijst naar een kaart.
Daar staan een hoop letters op.
Zegt de dokter: ‘Wat staat hier?’
Zegt oma: ‘Lees het maar even voor, dokter.
Want ik zie zo slecht.’

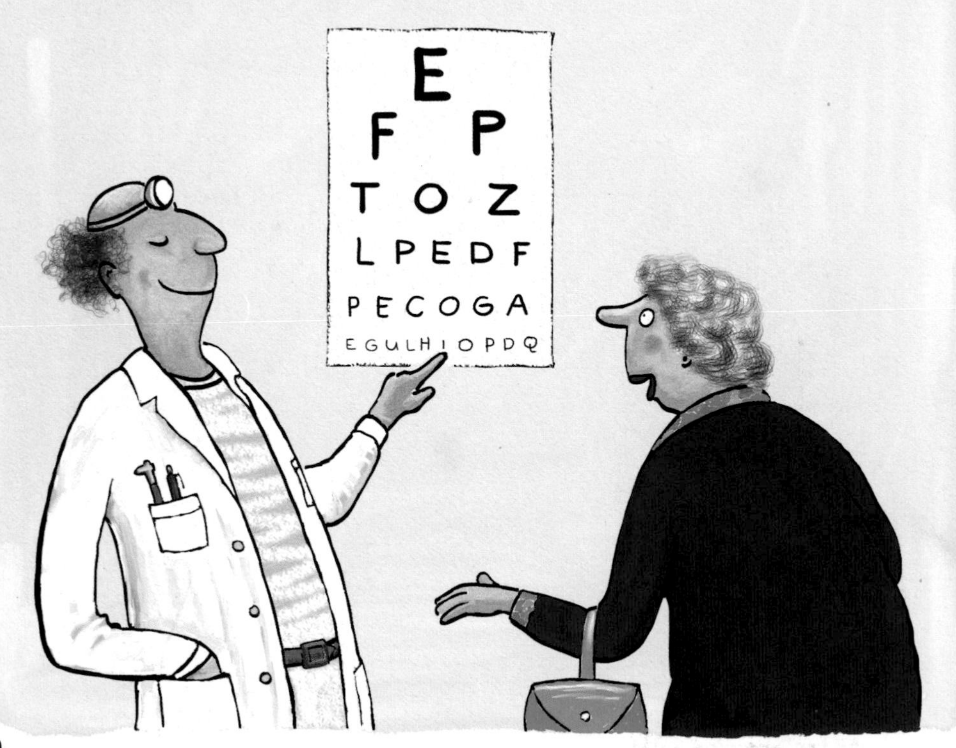

Zegt oma: ‘Er is nog wat, dokter.
Ik hoor maar half.’
De dokter zegt: ‘Ik zal een test doen.
Zegt u mij maar na: vier koekjes.’
Zegt oma: ‘Twee koekjes.’

Jut en Jul lopen op de stoep.
'Pas op!' roept Jul.
Voor hen, op de stoep, ligt iets.
Het is bruin.
Jut kijkt er eens goed naar.
Zegt Jut: 'Wat zou dat toch zijn?'
Zegt Jul: 'Het kan poep zijn.
Maar dat weet ik niet zeker.'
'Wacht,' zegt Jut.
'Ik proef er wel even van.'
Ze steekt haar vinger in de hoop,
en dan in haar mond.
'Bah,' zegt Jut. 'Wat vies.
Het is dus poep.'
Zegt Jul: 'Wat ben ik blij, zeg,
dat we daar niet in trapten!'

Miep ligt in bed,
maar ze kan niet slapen.
'Pap, mag ik een glas melk?' roept Miep.
'Zeur niet zo, Miep,' roept papa.
'Ga slapen.'
Na een tijdje roept Miep weer.
'Pap, ik wil een glas melk.'
Nu roept papa boos:
'Ga slapen, Miep.
Als je nu niet gaat slapen,
dan zal ik eens boven komen.'
'O,' roept Miep naar papa.
'Als je dan toch boven komt,
neem dan meteen een glas melk mee!'

'Mama, krijg ik die pop?' vraagt Miep.
'Maar Miep,' zegt mama.
'Je hebt al een pop.
Die is toch nog goed?
'Ja maar, mama,' zegt Miep.
'Jij krijgt toch ook een nieuw kindje.
En ik ben toch ook nog goed?'

In wat voor pan kook je geen soep?

In een dakpan.

Waar maak je een bij blij mee?

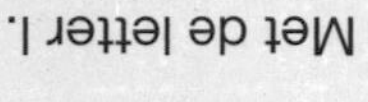
Met de letter l.

Het heeft vier poten.
Elke nacht krijgt het er twee benen bij.
Ra ra, wat is dat?

Jouw bed.

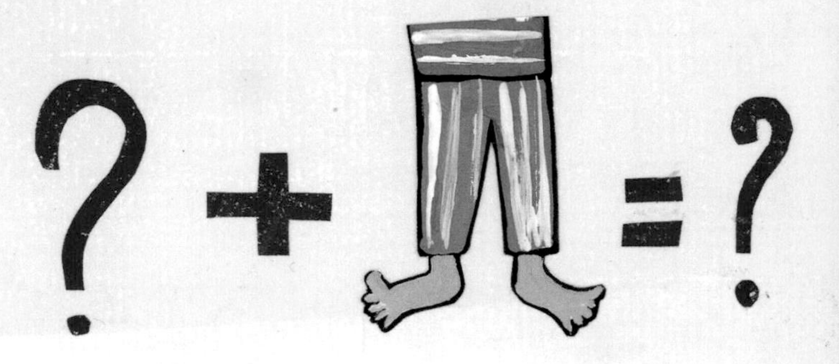

Een leeuw komt bij de dokter.
Zegt de leeuw: ‘Ik voel me zo ziek.’
Zegt de dokter: ‘Doe je bek eens wijd open
en steek je tong uit.’
Hoe noem je die dokter?

Dom!

Kijk naar je neus!
Kijk niet scheel.
Hoe doe je dat?

Kijk in de spiegel!

Hoe haal je drie varkens uit de sloot?

Nat.

Het is groen.
Uh … even denken.
Een kikker.

Wilt u uw koffie zwart?
Ik weet het niet. Wat voor kleuren heeft u nog meer?

Miep zegt: ‘Ik heeft geen pen.’
De juf zucht.
‘Miep, snap je het nog steeds niet?
Ik **heb** geen pen.
Jij **hebt** geen pen.
Hij **heeft** geen pen.
Wij **hebben** geen pen.’
‘Ik snap het,’ zegt Miep.
‘Niemand in onze klas heb een pen.’

Miep geeft de juf een leeg, wit vel.
‘Wat is dit nu?’ vraagt de juf.
‘Een koe in het gras,’ zegt Miep.
Zegt de juf: ‘Maar ik zie geen gras.
Dit vel is wit.’
‘Klopt,’ zegt Miep.
‘Die koe at al het gras op.’
‘Maar Miep,’ zegt de juf.
‘Ik zie ook geen koe.’
‘Dat snap je toch wel?’ zegt Miep.
‘Die koe blijft echt niet in een wei
waar geen sprietje gras meer staat.’

Waarom ben je zo laat?
Op de mat stond: **VOETEN VEGEN.**

En waar is je vrouw?
Die komt morgen.
Ze moest nog schoenen kopen.

Pietje staat voor de kooi van een beer.
Op een bord staat:
PAS OP!
NIET MET JE HANDEN IN DE KOOI!
Tóch steekt Pietje zijn vinger tussen de spijlen.
De beer komt boos op hem af.
Hij gromt en brult!
'Help!' gilt Pietje.
Dan breekt er een spijl.
En nóg een spijl.
De beer wurmt zich naar buiten.
Pietje rent weg.
Hij rent en rent.
Hij rent de poort uit.
Straat in, straat uit.
Hij rent zo hard hij kan.
Door een tuin, over een berg.
De beer volgt hem op de hielen.
En de beer rent hárder dan Pietje.
Pietje hijgt.

Hij hapt naar lucht.
Hij kán niet meer!
De beer is nu bijna bij Pietje.
En dan …
Dan voelt Pietje de klauw van de beer
in zijn nek.
Pietje krimpt in elkaar.
Zegt de beer: 'Tikkie!
Jij bent hem!'

Dag dokter.
Ik zie zo slecht.
Ik denk dat ik een bril moet.
Ja, dat denk ik ook.
U bent nu bij de bakker.

Ziet u dubbel, meneer?
Nee, dokters.
Hoe komen jullie daar nu bij?

Jut loopt de zee in.
Zegt Jul: ‘Pas maar op, Jut!
Er zit een leeuw in de zee.’
Vraagt Jut: ‘Echt waar?’
Jul lacht: ‘Nee hoor.
Ik hou je voor de gek.’
Dus Jut duikt de zee in.
Roept Jul: ‘Ik had je goed beet, Jut.
Er zit geen leeuw in de zee.
Er zit alleen maar een haai.’

Jul zit bij het meer.
Hij doet een worm aan de vishaak
en gooit zijn hengel uit.
Dan komt er een agent.
De agent wijst naar een bord.
'Ziet u dat bord?' zegt hij streng.
'U mag hier niet vissen.'
Zegt Jul: 'Dat weet ik wel, agent.
Maar ik vis niet.
Ik geef mijn worm zwemles.'

Pam rijdt heel hard door de straat.
'Ho, stop,' roept een agent.
'Je hebt geen helm.
Je hebt geen licht.
Je hebt geen bel.'
'Uit de weg!' roept Pam.
'Aan de kant.
Ik heb geen rem!'

Die boef stal mijn fiets!
Wat moet ik nu doen?
Het lijkt me het beste
dat u gaat lopen.

‘Wie kent er een rijmpje?’ vraagt de juf.
Mees steekt zijn vinger op.
Hij mag het zeggen.
Mees zegt: ‘Een paard
heeft nooit een baard.’
‘Heel goed,’ zegt de juf.
Wim weet er ook een.
‘Een vos
loopt in het bos.’
‘Heel goed,’ zegt de juf.
Dan steekt Miep haar vinger op.
‘Een ballon
lag in de regen.’
‘Hoe kom je daar nu op, Miep?
Dat rijmt toch niet?
Regen rijmt niet op ballon.
Luister eens goed.
Wat rijmt er wél op ballon?
Een ballon
lag in de …?’

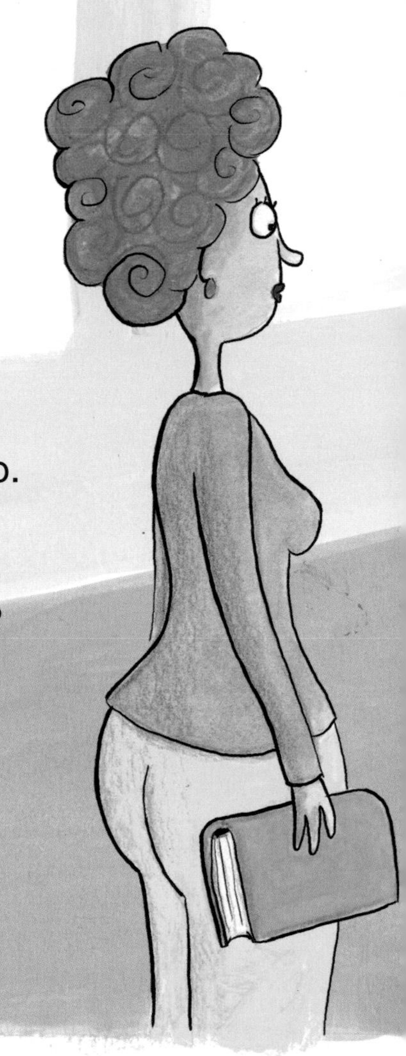

‘Dat weet ik echt wel,’ zegt Miep.
‘Maar ik kan er toch niks aan doen
dat de zon niet scheen?’

Wat een hitte, zeg!
Je mag best in mijn schaduw lopen, hoor.

Een kleine kameel vraagt aan zijn vader:
‘Papa, waarom heb ik van die grote wimpers?’
Zegt zijn vader: ‘Stel je voor.
Je loopt in de woestijn.
Ineens komt er een zandstorm.
Dan doe je je ogen dicht.
Die wimpers houden het zand uit je ogen.’
‘Dat is mooi, papa,’ zegt de kleine kameel.
‘Maar waarom heb ik van die bulten op mijn rug?’
‘Stel je voor, jongen.
Je loopt weer in de woestijn.
En er is geen water.
In die bulten zit heel veel vocht.
Daardoor kun je toch blijven leven.’
‘Maar papa,’ zegt de kleine kameel.
‘Wat doen wij dan hier, in de dierentuin?’

Soof en Zwoof zetten hun tent op.
Ze kruipen hun tent in
en gaan slapen.
Na een uur wordt Soof wakker.
'Zwoof, word eens wakker!
Kijk eens naar boven.
Wat zie je?'
Zwoof kijkt omhoog.
'Heel veel sterren,' zegt Zwoof.
'Klopt,' zegt Soof.
'En wat zeggen die sterren jou?'
Zwoof denkt diep na.
'Dat de ruimte heel groot is.
Dat de mens maar heel klein is.'
'Ja,' zegt Soof.
'En wat nog meer?'
'Dat het mooi weer wordt.
Dat kan ik ook zien aan de sterren.
Het is heel helder.

Maar jij dan?' vraagt Zwoof.
'Wat zie jij?'
'Dat onze tent gepikt is,' zegt Soof.

Dat is jouw navel.
Nee hoor.
Dat is een schroefje.

Draai dat schroefje er dan eens af.
Nee, dat doe ik niet.
Dan valt mijn buik eraf.

Miep is op bezoek bij haar tante.
Het is al laat
en Miep wil naar huis gaan.
Zegt haar tante: ‘Wat een weer!
Wat een regen!
Blijf je hier slapen, Miep?’
Zegt Miep: ‘Leuk!’
Maar dan rent Miep weg.
Na een uur komt ze kletsnat terug.
‘Waar was je nou?’ vraagt haar tante.
Zegt Miep: ‘O, ik was naar huis.
Ik moest even tegen mama zeggen
dat ik niet thuis slaap vannacht.’

Waarom draagt die hond groene laarzen?
O, zijn bruine zijn kapot.

Wat heeft u een prachtig paard.
Dat zou ik heel graag eens schilderen.
Niks daarvan.
Mijn paard ís wit
en blíjft wit!

Henk, Hein en Hannes zijn drie boeven.
Een agent sluit ze op in een cel.
De drie boeven willen er uit.
'Ik heb een plan,' zegt Henk.
'De agent is oud
en ziet niet meer zo goed.
We wachten tot de agent komt.
En als hij de deur open doet
dan doen we of we de hond zijn.
Dan kruipen we langs zijn benen naar buiten.'
'Goed plan,' zegt Hein.
'Snap jij het ook, Hannes?' vraagt Henk.
Hannes knikt.
Na een paar minuten komt de agent.
Hij doet de deur open.
Henk kruipt meteen naar de deur.
'Blijf staan!' roept de agent.
Hij grijpt naar zijn knuppel.
'Ik zie niet goed, maar ik hoor alles!'
'Woef, woef,' zegt Henk.
'O, het is de hond,' zegt de agent.

Gauw kruipt Henk langs de benen van de agent.
Dan kruipt Hein naar de deur.
'Blijf staan!' roept de agent weer.
'Ik zie niet goed, maar ik hoor alles!'
'Woef, woef,' zegt Hein.
'O, het is de hond,' zegt de agent.
Ook Hein kruipt langs de benen van de agent.
Dan volgt Hannes.
'Blijf staan!' roept de agent weer.
'Ik zie niet goed, maar ik hoor het wel.
Wat is dit nu weer?'
Roept Hannes: 'Weer een hond!'

Hoe kom ik bij
de supermarkt?
Loop die kant op.
Steek dan schuin het plein over.
Loop langs de kerk.
En dan de derde straat links.

Is dit de derde straat links?

'Weet je wat ik droomde vannacht?' zegt Jul.
'Dat ik op de kermis was!'
'Leuk,' zegt Jut.
'En weet je wat ik droomde?
Ik droomde dat ik jarig was.
Iedereen kwam op mijn feestje.
Alleen jij was er niet.'
Zegt Jul: 'Dat is raar.
Waarom was ik niet op jouw feestje?'
Zegt Jut: 'Omdat jij op de kermis was!'

Een aap en een ezel gaan naar school.
Maar ze zijn heel erg dom.
Ze leren niet veel.
Op een dag zegt de juf:
'Ik heb nog één opdracht voor jullie.
Als jullie die goed doen,
mogen jullie van school af.'
De juf wijst naar de deur van de klas.
'De opdracht is:
spring door dat sleutelgat.'
De ezel staat op.
Hij rent naar de deur.
Hij loopt - **BAM** - tegen de deur op.
De juf zucht.
Dan loopt de aap naar de deur.
Hij stopt vlak voordat hij bij de deur is.
Hij bekijkt het sleutelgat eens goed.
'Juf,' zegt de aap.
'Je kunt niet door dat sleutelgat springen.'
'Klopt!' roept de juf blij.
'Jij bent geslaagd, aap.

Jij mag eindelijk van school af!'
De ezel kijkt verbaasd naar de aap.
Hij vraagt: 'Hoe wist jij dat nou?
Dat je niet door dat sleutelgat kon springen?'
Zegt de aap:
'Ik zag dat de sleutel er nog in zat.'

Miep gaat naar de bakker.
Ze moet een brood kopen.
Miep heeft haast.
Maar bij de kassa staat een lange rij.
Miep dringt voor.
Ze gaat helemaal vooraan staan.
Het meisje achter de kassa zegt:
'Dat kan zomaar niet.
Ga eens achteraan staan.'
Miep kijkt naar de lange rij.
Zegt Miep: 'Dat kan niet juffrouw.
Daar staat al iemand!'

Miep vindt oma erg lief.
Op een dag zegt ze:
‘Papa, ik ga met oma trouwen.’
‘Maar Miep,’ zegt papa.
‘Dat kan toch niet?
Oma is mijn moeder.’
Zegt Miep: ‘Nou zeg, dat is ook flauw.’
‘Hoezo?’ vraagt papa.
‘Nou,’ zegt Miep.
‘Jij bent toch ook met mijn moeder getrouwd?’

Vraagt Jut: 'Wat voor dag is het vandaag?'
'Het is maandag,' zegt Jul.
'Maandag?' zegt Jut.
'Dat is raar!
Ik heb steeds het gevoel
dat het zondag is.'
Zegt Jul: 'Dat gevoel ken ik.
Dat had ik gisteren nou ook.'

Jut en Jul zitten op de bank.
Ze hebben helemaal niks te doen.
Ineens moet Jut heel hard lachen.
'Wat is er zo leuk?' vraagt Jul.
Zegt Jut: 'Ik vertel mezelf moppen.
En de laatste kende ik nog niet.'

NUR 219/287
ISBN 978 90 487 1360 8

Tekst: Erik van Os en Elle van Lieshout
Illustraties:
Claudia Verhelst
omslag, pagina 4-5, 14-15, 18-19, 26-27, 32-33, 44-45, 56-57
Heleen Brulot
pagina 6-7, 8-9, 20-21, 36-37, 40-41, 46-47, 50-51
Ineke Goes
pagina 12-13, 24-25, 30-31, 34-35, 42-43, 48-49, 52-53, 58-59
Lars Deltrap
pagina 10-11, 16-17, 22-23, 28-29, 38-39, 54-55, 60-61
Vormgeving: Rob Galema

Voor België:
Uitgeverij Zwijsen.be, Antwerpen
D/2013/1919/87